CYFRES TI'N JOCAN

PREGETHWR

Goronwy Evans

y Lolfa

I'r wyrion a Jac y ci

Argraffiad cyntaf: 2010

Dymuna'r cyhoeddwyr gydnabod cymorth ariannol
Cyngor Llyfrau Cymru

Rhif Llyfr Rhyngwladol:
ISBN: 978 1 84771 283 7

Cyhoeddwyd, argraffwyd a rhwymwyd yng Nghymru
gan Y Lolfa Cyf., Talybont, Ceredigion SY24 5HE
e-bost ylolfa@ylolfa.com
gwefan www.ylolfa.com
ffôn (01970) 832 304
ffacs 832 782

Cyflwyniad

Mae fy mywyd i wedi troi o gylch tair Llan – Llanwenog, Llandysul a Llanbed. Cefais fy ngeni a'm codi ym mhentref Cwmsychbant gyferbyn â chartref y gwyddonydd bydenwog, yr Athro E J Williams (Desin). Evan James oedd ei enw i'w rieni a thrigolion y pentref ond yn Ysgol Ramadeg Llandysul cafodd y ffugenw Desi am ei fod yn bencampwr ar y syms *decimals*. Doedd ei fam ddim yn lico'r gair Desi, felly, dyma hi'n ychwanegu'r llythyren 'n' a Desin fuodd e i bawb wedyn.

Cyfansoddodd y Prifardd Cledlyn Davies englyn gofiadwy i blwyf Llanwenog:

Plwy Gwenog! Pa le gwynnach? A pha blwy
A phobl well, neu ffeinach?
Ambell gawr, ambell gorrach.
Gwŷr o nod a gwerin iach!

Roedd tynnu coes, ffraethineb a hiwmor yn rhan bwysig o fywyd cefen gwlad yn nyddiau fy mhlentyndod. Yn wir, roedd fy nhad-cu Jac Rallt yn dynnwr coes heb ei ail. Drygioni diniwed oedd yn cael ei gyflawni'r pryd hynny.

Un o gymeriadau'r ardal oedd Mari Tanpond. Cerddai'n araf ac roedd bob amser yn cario ymbrela, hyd yn oed ar ddiwrnod braf o haf. Yn ymyl pentref Cwmsychbant mae fferm Tyngruganol. Bryd hynny yn y penhewl roedd coeden ffawydden gyda'i changhennau yn croesi'r hewl. Yno, byddem ni blant yn yr haf yn ei dringo a chuddio yn ei dail. Pwy ddaeth heibio a ninnau yn y goeden oedd Mari Tanpond. Wrth iddi nesau dyma ninnau'r bois yn cadw sŵn a giglan nes i'r peth fynd yn drech na ni a bu raid colli deigryn! Wrth i'r diferion ddisgyn drwy'r dail, dyma Mari yn agor yr ymbrela a dweud, "Hawyr bach, o ble ddaeth y gawod 'na nawr, sdim cwmwl yn golwg!"

Yn Llandysul a'r fro dyma gwrdd unwaith eto â chymeriadau lliwgar. Caiff un ohonynt fod yn ddienw ond roedd ganddo wyth o blant a ffowlyn oedd ganddynt i ginio Nadolig. Roedd pob un o'r plant am gael co's a dyma yntau'n ateb, "Byddwch dawel y diawled bach. Beth y'ch chi'n feddwl sy' 'da fi – corryn!"

Ry'n ni i gyd yn lico mynd ar ein bocs sebon weithie. Un o'r *topics* sy'n cynhyrfu'r dyfroedd i mi yw gweld y gair Llanbed yn cael ei sillafu 'Llambed'. Nawr, nid Llam i'r gwely sydd 'ma (Llambed) ond Eglwys Sant Pedr – Llanbedr. Tristwch pellach yw gweld plant, ac yn wir oedolion, yn ysgrifennu Llambedr Pont Steffan.

Gwn fod yr 'n' yn meddalu o flaen 'b' ac yn mynd yn 'm'. Er hynny, ni chymer le yn Llanboidy, Llanbedrog na Llanbrynmair. Tybed nad yr enw Saesneg 'Lampeter' sydd wedi dylanwadu ar y Gymraeg a phery i bobl ddweud 'Llambed'. Mae pobl tu allan i Lanbed yn cyfeirio at y lle fel Llanbedr Pont Steffan, enw hyfryd a phrydferth. Mae'n werth diogelu rhai pethe weithie i'r to sy'n codi.

Rwyfinnau am gyflwyno y llyfr hwn i'r tri ŵyr – Llywelyn, Gruffudd a Cynan; a Jac y Labrador sydd wedi rhoi oriau o bleser a mwynhad i Bet a finne. Gobeithio y cewch chithe'r darllenydd bleser a hwyl yn ei ddarllen. Diolch i bawb sydd wedi bod ynghlwm wrtho, yn arbennig Meleri Wyn James o'r Lolfa am bob cyfarwyddyd wrth ei baratoi i fynd trwy'r wasg ac i'r Lolfa am eu gwaith graenus.

Hwyl,

Goronwy

Plant

Pan oedd e'n bedair oed daeth Llywelyn, yr ŵyr hynaf, i'r cwrdd ym Mrondeifi gyda'i fam-gu. Tad-cu oedd yn cymryd y gwasanaeth ac roedd Llywelyn a Mam-gu yn eistedd yn un o seddau cefn y capel. Roedd yntau â'i lygaid wedi'u hoelio ar beth oedd Tad-cu yn ei ddweud a'i wneud. Yn wir, bu'n arbennig o dawel drwy'r gwasanaeth. Aeth y ddau adref yn union ar ôl y cwrdd. Gelwais inne yn y tŷ ar y ffordd i'r capel arall, i'w ganmol am fihafio mor dda.

"Wel, Llywelyn, ma' Tad-cu yn falch ohonot ti, o't ti'n dawel, dim gwec drwy'r gwasanaeth. Gwd boi, o't ti'n ffantastig." Aeth eiliad neu ddwy heibio ac medde Llywelyn, "Tad-cu, wyt ti'n siarad lawer gormod."

Erbyn hynny ro'n i wedi bod tua deugain mlynedd yn y weinidogaeth. Digon tebyg bod yr aelodau wedi teimlo 'run peth ond fe gymrodd yr ŵyr i ddweud wrtha i!

Mae Llywelyn erbyn hyn yn unarddeg oed ac ar y ffordd mewn i'r capel rai misoedd yn ôl, dyma fe'n rhoi tap ar fy ysgwydd a dweud, "*Keep it short,* Tad-cu."

★

Llywelyn, Cynan, Gruffudd a Jac y ci

Pan anwyd Cynan, y trydydd o'r wyrion, chwe mlynedd nôl, roedd Llywelyn yn bedair oed a Gruffudd yn dair oed. Roedd y ddau wedi bod yn ei weld rhyw ddwywaith yn yr ysbyty. Ar ddiwrnod casglu Gwenllian ei fam a Cynan i ddod adre dyma Gruffudd yn gofyn, "Pam ma' *fe'n* dod adre gyda ni?"

★

Mae'r tri yn dod i aros yn gyson gyda ni. Bryd hynny, mae'n rhaid chwilio am lefydd i fynd iddynt a phethau i'w gwneud yn y car wrth deithio. Roedd y tri wedi dysgu 'Hen Wlad fy Nhadau' er mwyn ei chanu mewn rhyw achlysur yn yr ysgol. Dyma ninnau'n cael ei chlywed yn y car. Nid 'gwlad, gwlad' oedd Cynan yn ei ganu ond 'gwlân, gwlân.' Yna, fe ofynnodd Llywelyn i Gruffudd, pam mai 'gwlân, gwlân' oedd e'n ganu? Dyma Cynan yn ateb, "Wel, gweld yr holl ddefed yn y ca'!"

★

Un diwrnod, dywedodd Meinir Ffosyffin wrth Sion y mab, sy' tua pedair oed, am roi'r gwregys amdano yn y car. "Beth?" medde Sion, "gwregys yn y nef ife." Roedd Sion wedi clywed am Weddi'r Arglwydd yn yr ysgol!

★

Sdim amheuaeth bod gan athrawon lwythi o storïau am blant a'r rheiny'n rhai da. Ma' nhw'n cael gwybod y cyfan. Roedd Brenda Jones yn dysgu yn Ysgol Ffynnonbedr ac yn y dosbarth roedd Mathew (Railway) Llanbed. Roedd hithau wedi rhoi syms yn waith cartref i'r dosbarth. Bore trannoeth daeth y plant nôl â'r syms ond gwelwyd nad oedd syms Mathew yn gywir i gyd. Felly, gofynnodd Brenda Jones iddo eu hailwneud nhw y noswaith honno. Bore trannoeth daeth Mathew nôl â'r syms, pob un wedi eu gwneud. Wrth eu rhoi i'r athrawes dyma fe'n dweud, "Ddyle rhain fod yn reit i gyd – Tudor yr *accountant* wnaeth nhw!"

★

Y *back lane* oedd maes chwarae plant Stryd Newydd a Stryd y Bont ac atynt ar benwythnosau y deuai ffrindiau eraill. Fe ddaeth y rhieni i'r penderfyniad y byddai'n beth da iddynt gael gwersi nofio ar fore Sadwrn. Dyma ofyn i Percy Gill eu dysgu, gŵr oedd fel pysgodyn yn y dŵr. Rhyw hanner dwsin o blant oedd yn y dosbarth nofio a'r un ohonynt yn fwy na phump oed. Wedi cael pedair gwers, roedd pob un ohonynt, bron, yn yr un man a phan ddechreuon nhw fis nôl. Dyma Percy Gill yn rhoi cerydd fach iddynt a dweud os na fydde 'na welliant yn y nofio mewn pythefnos, byddai'n rhaid rhoi'r gorau iddi. Yn dilyn y cerydd dyma Iwan Tŷ Llwyd yn ateb Percy, "Mae'n olreit i ti roi row i ni, ddylet ti fod yn gallu nofio – ma' gils 'da ti!!" O enau plant bychain.

★

Adeg Cwrdd y Plant yng Nghapel y Groes un tro, ro'n inne wedi paratoi anerchiad ar gyfer y plant ar y llaw a'r bysedd. Gofynnais iddynt am swyddogaeth y gwahanol fysedd nes i mi ddod at y bys nesaf i'r bys bawd. "Beth yw diben hwn?" meddwn i gan ddisgwyl yr ateb, "i bwyntio". Dyma Trystan Potter yn rhoi ei law lan ac yn ateb "i bilo trwyn."

★

Rosanne Lloyd oedd merch Mr a Mrs D T Lloyd, Llangybi, ac roeddynt hwythau fel teulu yn mynd i gapel Ebenezer bob Sul, ond ar y Sul arbennig hwn roedd cymundeb. Gwrthododd Rosanne fynd i eistedd gyda'i mham a gweddill y teulu. Roedd hi am eistedd yn y Côr Mawr gyda'i thad. Fel hynny y buodd hi. Adeg y cymundeb gwyliodd y diaconiaid yn mynd â'r plât bara o amgylch yr aelodau ac yna'n dod nôl i'r ffrynt a mynd a llond trei o'r gwydrau bach iddynt eto. Roedd hi'n deall beth i'w wneud â'r bara ond methu'n lân a deall beth oedd y gwydryn bach yn dda na beth oedd ynddo. Wrth weld pawb yn ei gymryd dyma Rosanne yn gofyn yn dawel i'w thad, "Beth yw'r rheina?" Roedd DT yn meddwl iddo gael *brainwave* ac atebodd, "Moddion yw'r rheina." Atebodd Rosanne fel fflach, "Wel, ma' lot yn sâl 'ma heddi!"

★

Pan oedd ein dau fab, Ioan Wyn a Rhidian Huw, yn blant arferem fynd am deithiau yn y car. Un tro, dyma ninnau'n pwysleisio yr angen i lanhau'n dannedd neu yr hyn fyddai'n digwydd yw y byddai *perea* (salwch yn y gyms) yn difa'r dannedd ac yn eu pwdru. Diwedd y dydd, fe droion ni mewn i le bwyta nid anenwog a thra roedden yno, daeth gŵr a gwraig i fewn am fwyd. Un dant oedd gan y wraig ac o'i gweld medde'r bois, "Dad, ma' hon wedi cael *perea*!"

*

Roedd Idwal Jones Llanbed, y digrifwr a'r dramodydd, yn arfer dweud nad ydym ni Gymry yn cymryd ein digrifwch yn ddigon o ddifrif. Ry'n ni'n rhy wyneb hir, dydyn ni ddim yn chwerthin digon.

Yn ôl yr arbenigwyr mae dynoliaeth yn cyflym golli'r ddawn i chwerthin. Yn 1930, roedd pawb ar gyfartaledd yn chwerthin am 19 munud bob dydd. Erbyn 1980, disgynnodd y ffigwr i chwe munud. Beth yw e erbyn heddi, tybed – wedi disgyn i funud neu ddwy efallai?

Mae plant ar y llaw arall yn gweld yr ochr ddoniol i fywyd. Ma' nhw'n chwerthin ar gyfartaledd bedwar can gwaith y dydd. Mae chwerthin a hiwmor yn donic i'r enaid ac eli llesol. Byddwn i byth wedi treulio yn agos i hanner can mlynedd yn y weinidogaeth hebddo.

Nathaniel Tynfron

Er mwyn i blentyn gael cyfle i werthfawrogi hiwmor a thynnu coes, mae'n bwysig iddo gael cwmni rhywun â chanddo stôr o storïau celwydd gole i agor ei feddwl a'i ddychymyg. Gŵr fel'na oedd Nathaniel Tynfron, Cwrtnewydd. Deuai'n gyson i siarad â ni'r plant wrth gornel iard yr ysgol. Yno, byddem ni'r plant yn casglu o'i amgylch. Cwestiwn cyntaf Nathaniel fydde, "Sawl un ohonoch chi blant sydd wedi bod yn America?" Byddai pob un yn siglo'u pennau yn dynodi nad oedd neb wedi bod.

Wel, wedyn fe fydde Nathaniel yn ei hagor hi mas. Yn America y gwelodd e'r fuwch fwyaf erioed a chanddi gader enfawr a deuddeg teth iddi. I ddangos mor fawr oedd y fuwch, roedd hi'n cymryd diwrnod i frân hedfan o un corn i'r llall iddi. Yno hefyd oedd y rhychau tatw hiraf welodd e erioed. Pan ro'n nhw'n gorffen tynnu un pen, ro'n nhw'n dechrau plannu pen arall!!

Bydden nhw'n cynnal gwleddoedd priodasau mewn *marquee* mawr yn America. Gwaith Nathaniel oedd rhannu'r mwstard ar hyd y byrddau. I ddangos maint y byrddau roedd Nathaniel yn gorfod cael beic i wneud y gwaith!!

*

Roedd Nathaniel yn bysgotwr mawr. Y samwn mwyaf ddaliodd e erioed oedd mewn pistyll rhwng Cwmsychbant a Chwrtnewydd. Bu raid iddo ei gario adref ar ei gefn. Roedd yn ddyn dros chwe troedfedd ond roedd pen y samwn ychydig yn uwch na'i ben a'i gwt yn llusgo ar y llawr. Mae'n debyg i ryw hanner cant o gathod ddilyn Nathaniel a'r samwn adref.

*

Un ochr o waith Nathaniel oedd trefnu i fynd â'r doctor rownd i'r cleifion mewn cart a cheffyl. Rhyw ddiwrnod roedd y doctor yn sâl ac o hynny mlân, Nathaniel fu'n delio â'r cleifion. Yn wir, roedd pawb yn gwella dim ond o'i weld e.

*

Roedd ganddo stori am awyren yn hedfan yn isel uwchben y clôs. Roedd ei wraig allan yn bwydo'r ffowls. I ddangos pa mor isel oedd yr awyren, fe gydiodd y peilot yng nghlust y badell a mynd â hi.

*

Roedd Nathaniel a'i wraig wedi mynd am dro yn yr Austin 10 i Aberporth. Fe redodd y car mas o betrol gerllaw i gamp yr RAE yno. Aeth Nathaniel mewn i'r lle a gofyn am lond can dau alwyn o betrol. Yr unig betrol oedd gyda nhw oedd hwnnw fydde nhw'n ei roi yn yr awyrennau. Talodd amdano a'i roi yn y car a bant â nhw. Cyn pen fawr o dro bu raid rhoi'r wraig i orwedd ar y bonet, yno buodd hi yr holl ffordd adref. Roedd part blân y car yn mynnu codi medde Nathaniel!!

Cwmsychbant

Fe'm ganed yng Nghwmsychbant, pentref bach ym mhlwyf Llanwenog sydd ar y ffordd rhwng Llanbed a Chastellnewydd Emlyn. Dyna i chi feithrinfa cymeriadau, lle'r doniolwch diniwed, y digrifwch a'r tynnu coes a phawb yn ei dderbyn yn yr ysbryd gore.

Y cae ar waelod bronnydd Sychbant oedd stadiwm y pentref yn y gaeaf a Lords y pentref yn yr haf. Yno, byddai Lyn Siop, Emyr Sychpant, Gwyn Weun a finne yn chwarae pêl-droed neu griced. Rhyw brynhawn Sadwrn oedd hi ac roedd y pedwar ohonom yn chwarae criced. Ymhen amser bu rhaid cael sbel fach. Roedd Lyn yn byw yn Pengraig Shop gerllaw. Penderfynodd fynd lan i'r siop i nôl ychydig o gyrens a syltanas i ni fwyta. Daeth nôl â llond pecyn gwyn tri chornel i'w rannu rhyngddom.

"Reit bois," medde Lyn, "cewch gyrens a syltanas dim ond i chi gau eich llygaid ac agor eich cegau. Yna, pan ddyweda i 'bwyta', mae pob un i ddechrau arni." Cytunodd pob un a phan ddaeth y gorchymyn i ddechrau bwyta dyna wnaed. O'r fath flas!! Y cyrens a'r syltanas oedd dom cwningod roedd Lyn wedi ei gasglu ar y ffordd i'r siop. Bu Emyr, Gwyn a finne yn sâl drwy'r prynhawn a Lyn yn chwerthin yn iach am iddo'n dal gydag un o'i driciau!!

Ysgol Cwrtnewydd

Byddai pob plentyn yn Ysgol Cwrtnewydd yn cael y cyfle i ddangos eu doniau mewn cyngerdd ar lwyfan Neuadd Seion bob Nadolig. Roedd dwy gyngerdd, un noson i'r mamau a'r llall i'r tadau. Ar y llwyfan yma, yn bedair a hanner oed, y bûm i'n perfformio yn gyhoeddus am y tro cyntaf. Dyma'r pennill:

Goronwy Yfans ydwyf i
Rwy'n byw i lan yn Arfryn
Does ofan dim na neb arna i
Does neb yn hoffi llwfryn.

*

Rwy'n cofio Dilwyn Pantffynnon yn dod i Ysgol Cwrtnewydd am y tro cyntaf. Roedd e chwe mis yn iau na fi ac yn dod yn llaw ei dad. Pan ddaeth i gât yr ysgol 'ma Dilwyn yn cael traed oer. Dyma fe'n gofyn i'w dad, "Ble mae'r ysgol?" Dyma ei dad yn dangos yr adeilad o'i flaen. 'Ysgol' i Dilwyn oedd yr hyn y byddai'n ei dringo lan i'r storws, y das wair a'r helem. Eironi'r sefyllfa oedd mai dringo fydde Dilwyn yn ei wneud ar y ddwy.

*

Yn 1953, es i Ysgol Ramadeg Llandysul. Mae bathodyn yr ysgol yn dal yn fy meddiant o hyd gyda'r geiriau Lladin arno 'SIC ITUR AD ASTRA' (Dyma'r ffordd i'r sêr). Lluniodd yr Athro Leslie Harries gwpled Cymraeg pwrpasol:

> Uwch uwch ei rwysg uched yr êl
> Dringed i gadair angel.

Prifathro'r ysgol ar y pryd oedd Edgar Davies, gŵr o Waunaegurwen. Dyn bach boliog ydoedd, ond roedd pawb yn dwli ei ofan ac yn crynu hyd at eu sodle yn ei gwmni, yn enwedig pan fydde'r geiriau yn cael eu gweiddi dros yr holl ystafell fel rhan o'r cerydd, "*What you lack is the greatest of senses, that is common sense.*" Pryd hynny, roedd crud yn mynd lawr yr asgwrn cefn.

*

Athro Daearyddiaeth oedd I T Hughes neu i ni'r plant Hughes Mowr. Roedd yn ŵr talsyth gyda *crew cut* oedd yn ychwanegu modfedd neu ddwy i'w daldra. Mab i weinidog ym Maesteg oedd I T Hughes a'i ddywediadau bachog, pert sy'n aros yn y cof. Roedd ganddo'r ddawn i chwarae ar eiriau. Y pryd hynny, roedd pawb yn mesur yn ôl llathenni, troedfeddi a modfeddi. Rwy'n dal i wneud o hyd. Os byddem ni fechgyn yn araf yn ymateb i'w gwestiynau neu'n swnllyd yn y dosbarth, yna, fe fydde fe'n taranu fel pregethwr yn ei hwylie.

"*My boys, you think by the inch, you talk by the yard and you'll be out by the foot.*"

*

Athro cerddoriaeth oedd Ted Morgan. Dywed R E Griffith, yn ei drydedd gyfrol o hanes Urdd Gobaith Cymru, mai ef oedd un o bennaf gymwynaswyr y gân yng Ngheredigion yn yr ugeinfed ganrif. Dysgodd genedlaethau o blant i ganu ac roedd yn gyfeilydd swyddogol mewn eisteddfodau lan a lawr y Sir. Fel hyn y canodd Dic Jones amdano:

Ymhob eisteddfod lle bu'r brawd
Ni chai unawdydd drwbwl
Cans am gynghanedd a phob cord
O'r cîbord gŵyr y cwbwl
Ac am bob punt a gai o bae
Ei aberth haeddai ddwbwl.

Roedd merched yn yr ysgol fel pe baent yn hoffi cerddoriaeth yn fwy na'r bechgyn. Edrychai'r merched mlân i gael cloi'r wers gyda chân ond doedd y bechgyn ddim mor awyddus i wneud. Yna, byddai Ted yn mynd at y piano ac yn chwarae dau neu dri cord ac yn edrych i gyfeiriad y bechgyn a dweud, "*Boys, open your copies, the girls are ready.*"

*

Mae gan rai athrawon ddywediadau lletchwith megis Tommy Trout, yr athro Mathamateg ar y pryd. Cyn dechrau ar y wers byddai'n rhoi tap neu ddau i'r bwrdd du ac yna'n dweud, "*Look at the board while I go through it.*" Mae'r peth yn digwydd mewn barddoniaeth, fel yn nhelyneg Ceiriog, 'Gwelais bren yn dechrau glasu'. Ac, yn un o'r penillion, mae sôn am 'aderyn bychan arall' fel a ganlyn:

Ac fe ganodd uwch yr afon
Gyda deilen yn ei big.

Medde Talhaiarn, "Sut ddiawch medre fe ganu â deilen yn ei big?"

*

Desg i ddau oedd yn y dosbarthiadau y pryd hynny. Ro'n i'n rhannu desg gyda David Rees Davies, Rhydlewis neu Dai Pendre fel y'i gelwyd. Ac mae yntau erbyn hyn yn fardd toreithiog ac yn aelod o dîm Ffostrasol a Cheredigion *Talwrn y Beirdd*. Boi yr hiwmor iach ydoedd fel y gwelwyd yn y Talwrn yn Eisteddfod Genedlaethol Blaenau Gwent a Blaenau'r Cymoedd 2010. Gofynnwyd am gwpled yn cynnwys 'offeryn cerdd'. Dyma gwpled Dai o dîm Ceredigion:

Yn feddw dwll cafodd Dan
Un ergyd ar ei organ.

Yn Eisteddfod Pontrhydfendigaid gofynnwyd am gwpled yn cynnwys y geiriau 'yn y Bont'. Dyma'r gwpled a ddanfonodd Dai i'r gystadleuaeth:

Yn Ffostrasol mae golud
Yn y Bont twll din y byd.

Mae gan Dai englyn i Dafis Bach, Prifathro Ysgol Ramadeg Llandysul yn ei gyfnod e a minne. Gwisgai mortar bord a gŵn du wrth gerdded y coridor ac ymweld â'r dosbarthiadau:

Dafis Bach

Un â'i hat wedi fflato – a'i ŵn du
Fel rhyw dent amdano
Yn ei wisg, yn ei osgo
Hwn i mi oedd Bwci Bo.

★

Un o'r gwersi pwysig oedd PT – Ymarfer Corff yn *gym* yr ysgol. Robin Havard oedd yr athro. Roedd Dai wedi anghofio ei ddaps i'r wers un diwrnod a bu raid iddo wneud yr ymarferion yn nhraed ei sanau. Cafodd siars gan Havard i ddod, y tro nesaf, â'i *rubber shoes*. Ymddangosodd Dai i'r wers nesaf mewn shorts a wellingtons!!

★

Roedd pawb bron yn yr ysgol yn cael ffugenw. Jake oedd ffugenw y Parch. J Towyn Jones. Twm Styds oedd Thomas Arthen Davies, Blaenbuarthe. Y rheswm am hynny oedd iddo ddod i'r ysgol un diwrnod gyda chrys a choler rhydd yn cael ei ddal wrth y crys gan ddwy styden. Dyna hi o hyn mlân, Twm Styds fuodd e. Hitler oedd Alun Rees. Yn yr un dosbarth â mi roedd dau Ddyfrig ac er mwyn gwahaniaethu rhyngddynt gelwid y talaf o'r ddau yn Dyf Bach, a'r llall, oherwydd ei wallt gole, yn Dyf Penwyn. Gelwid y Parch. Elwyn Evans yn Elwyn Presley a hynny am ei fod e'n credu ei fod yn gallu canu. Punch oedd John Percival Vare, a Pope oedd y Parch. Gareth Morgan Jones, pregethwr o'i fodd o'i blentyndod. Rhoddwyd yr enw Dai Dwl ar David Evans o Brengwyn am ei fod e'n hoff o droi'r tegan hwnnw a elwid yn Dai Dwl. Cysylltid eraill ag enw'r cartref neu'r pentref megis Ken Cwrt, Goronwy Blodfa, Edwin Galltman a Roy Trewen.

★

Rwy'n cofio mynd i bregethu i gapel y Bedyddwyr yn ymyl Nanhyfer a gweld bachgen yn y gynulleidfa oedd yn yr ysgol yr un adeg â fi. Ni chofiwn ei enw iawn, ond roedd Pancws ei ffugenw yn aros yn y cof. Byddai'n dod a'i bancws yn ddyddiol i fwyta gyda'r lla'th amser egwyl y bore. Roedd yntau'n cofio mai Teit oeddwn inne. Rhyw ddydd mi es â Beibl i wers Ysgrythur ag enw 'nhad arno, Titus Arwyn Brynley, a Teit fu'r enw wedyn. Ains neu Welsh Stores oedd ffugenw J Ainsleigh Davies a ddaeth yn ddiweddarach yn brifathro'r ysgol. Erbyn hynny, roedd wedi tyfu barf trwchus ac fe'i lysenwyd yn Makarios. Ni fu'r athrawon heb eu ffugenwau chwaith – Dai Double Dash, Wili Woodwork, George Hist, Tommy Trout, Dai Mia, Bei Maths a Wil Span.

*

Yn ystod gwyliau'r ysgol byddwn yn gweithio yn y Fedwen Bakery, Llandysul. Yno, cefais gyfle i ddod i adnabod cymeriadau'r fro ac yn eu plith Mrs Esther Davies y Fedwen ei hun neu Het Fedwen fel y'i gelwyd ar lafar gwlad. Roedd ganddi stôr o hen ddywediadau. Rwy'n cofio mynd ein dau i farchnad Tregaron i werthu cynnyrch y Popty ac yn eu plith pancws neu Pontcage fel y'u gelwyd yn yr ardal honno. Lawr aethon ni yn y fan trwy Llandysul, hithau yn canfod cyn cyrraedd gwaelod y pentref bod yna dwll yng nghornel y bag arian. Dyma hi'n fy ngorchymyn i alw gyda Llew Saddler i roi tac i gau'r twll gan ychwanegu un o'i pherlau, "Gwell talu swllt na cholli chwech."

Os byddai un o'r gweithwyr yn sefyll yn ei unfan heb reswm, y cwestiwn fydde, "Beth y'ch chi'n sefyll fan'na fel dyn pwti?" Roedd hi hefyd yn gwybod beth oedd *Time and Motion*. Lawer tro fe'i clywais yn dweud ar lawr y Popty, "Pan fyddwch chi'n mynd lan i'r llofft cofiwch bod peth a'r peth yn barod i fynd lan. Peidiwch byth mynd yn waglaw, lan na lawr. Dim trafaelu ofer."

Ar ddydd priodas Bet a finne, fe gododd i ddweud gair yn y wledd. Dyma'r frawddeg, "Y'ch chi Beti a Goronwy wedi clymu cwlwm a'ch tafod heddi, na allwch mo'i ddatod â'ch dannedd." Dysgais lawer am bobl a bywyd yn ei chwmni.

*

Roedd gan Fedwen Bakery siop fara ar waelod rhiw'r ysgol. Bob bore byddai nifer ohonom ni blant yn cyfarfod yno i brynu byns i'w bwyta adeg yr egwyl. Yno, tu ôl i'r cownter roedd Mrs Davies. Dyma fi'n gofyn iddi am chwe bynen a'u cael i gyd yn ffres. Roedd hi wedi dysgu tric neu ddau ynghylch gwerthu. Un ohonynt oedd, os oedd yna rai byns yn sbâr o'r diwrnod cynt a rhywun yn gofyn am chwech, i roi pump ffres ac un o'r lleill. Un o'r bechgyn a ddeuai i'r siop bob bore oedd Ainsleigh Davies. Dyna yntau'n gofyn am chwe bynen a'u cael. Yna, rhoddodd ei law i mewn i'r cwdyn i weld bod y cyfan yn ffres. Rhyw deimlo yn anhapus oedd Ains ac roedd Mrs Davies yn sylweddoli hynny. Medde wrtho, "Bachgen, beth sy'n bod arnoch chi, rwy wedi bod yn gwneud byns ers cyn i chi gael eich geni." Dyma Ains yn cydio yn yr un oedd ychydig yn stêl a dweud, "Ma' hon siwr o fod yn un ohonyn nhw 'te!!" Cafodd Mrs Davies flas ar yr ateb a bu'n adrodd y stori wrth eraill, fel y'i trechwyd hi gan grwt o'r ysgol.

*

Pan oedd ysgol Llandysul yn dathlu ei chanmlwyddiant, Ainsleigh oedd y Prifathro. Trefnwyd gwasanaeth bore Sul yn Neuadd yr Ysgol a gofynnwyd i mi bregethu. Dyma ofyn i Ains beth ddylai hyd y bregeth fod. Dyma'r cyngor a gefais i ganddo, "Ychydig yn hirach na ffeirad a tipyn llai na phregethwr Methodist."

*

Bili Bwtsiwr Bach
(Cyhoeddir y llun hwn gyda chaniatâd Mr J H Lewis, Gwasg Gomer)

Yn Llandysul, cefais gyfle i gwrdd ag un o gymeriadau lliwgar y pentref sef Bili Bwtsiwr Bach, gŵr oedd yn byw yn wahanol i bawb, yn wir ar drugaredd pobl eraill. Byddai'n cysgu yn yr haf o dan lwyn rhododendron yn Nôl Llan ac, yna, mewn rhyw sied neu storws yn y gaeaf. Corff bach oedd Bili, rhyw *four foot nothing* o daldra ac roedd yn bart o'r celfi ar aelwydydd Llandysul. Byddai'n cael ei ddillad gan hwn a'r llall. Gwisgai ei gap gyda'i big tua nôl, macyn coch am ei wddf, crys gwlanen a throwser gydag un goes yn uwch na'r llall. Bob tro byddai coesau'r trowser yn rhy hir iddo, lawr ag ef i Wilkes Head ble byddai'n rhoi'r trowser ar y blocyn, a chyda'r bilwg, yn torri'r coesau i'r maint oedd angen arno. Ond yn fwy aml na pheidio, roedd un goes yn uwch na'r llall.

★

Roedd Bili'n hoff o'i lased a bron bob nos byddai'n mesur yr hewl. Mr Rhydderch oedd gweinidog Seion, capel yr Annibynwyr ac un bach oedd yntau fel Bili. Byddai byth yn pasio neb ar y ffordd heb ei gyfarch. Pa gyflwr bynnag byddai Bili ynddo, byddai Mr Rhydderch yn dweud rhywbeth wrtho. Un noson, daeth Bili lan y stryd i'w gyfarfod yn feddw dwll. O'i weld, medde wrth Bili, "Feddw mawr heno eto Bili." Atebodd Bili, "A finne 'fyd." Mae'r stori wedi cael ei thadogi i lawer un, ond Bili a Mr Rhydderch pia honna.

★

Traed bach oedd gan Bili a phan oedd yn y fyddin fe aeth at y Sgt Major i gael pâr o sgidie newydd. Doedd dim pâr i'w ffitio ar gyfyl y lle. Dyma'r Sgt Major yn dweud wrth Bili, "*I suggest that you go out and shoot the Germans!!*" Medde Bili, "Chi'n gwbod, bu raid i mi saethu nawdeg naw o'r diawled cyn i fi gael pâr i ffito!!"

★

Daeth rhyw bysgotwr o Sais i aros yng Ngwesty'r Porth, Llandysul. Pwy ddaeth i'r Porth y noson honno ond Bili. Dyma rhywun yn ei gyflwyno i'r Sais. Wedi'r cyflwyno, medde'r Sais wrth Bili, "*I guess you'd like a whisky, Bili*?" "*Yes thank you, sir,*" medde Bili. Cyn pen dim o dro roedd Bili wedi llyncu pob tamed. Dyma'r dyn yn gofyn eto, "*I guess you'd like another whisky, Bili*?" a Bili'n ateb, "*Yes thank you, sir.*" Aeth hyn ymlaen am rhyw chwe gwaith. Wrth ofyn am y seithfed tro, "*I guess you'd like another whisky, Bili?*" dyma Bili yn troi at ei ffrindiau a dweud, "Boi da yw hwn bois, mae e'n guesso'n reit bob tro."

★

Pan fu farw Bili cyfansoddodd Annie Evans, chwaer y diweddar Barch. Jacob Dafis, gerdd iddo.

Bili Bwtsiwr Bach

Ffarwél i hen gymydog
Daeth terfyn ar ei daith,
Bu ef a minnau'n croesi
'Run llwybr lawer gwaith.

Un sionc ei droed a'i ysbryd
Un parod gyda'i wên
Er pasio'r cerrig milltir
Gwrthododd fynd yn hen.

Ni fynnai'r byd a'i bethau
Ni cheisiodd ennill clod,
Ond carodd fro ei febyd
A'i fwthyn yn y co'd.

Ei gyfoeth oedd prydferthwch
Y coed a'r blodau'n llu,
A'i larwm yn y bore
Oedd cân y deryn du.

★

Yn ystod fy ieuenctid, Jacob Dafis oedd y gweinidog ac ar adegau byddai'n ein dysgu ni bobl ifainc y grefft o siarad yn gyhoeddus. Roedd ganddo dair rheol euraidd:

1 Rhaid gwisgo'n dda: Coler a thei, dillad teidi a phob blewyn o'r gwallt yn ei le. Byddai'n awgrymu bod y bechgyn yn rhoi ychydig o stwff Dennis Compton ar y gwallt (Brylcreem).

2 Cofiwch siarad yn glir gan ddefnyddio'r llais fel bod pob gair yn disgyn yn glir ar glust y byddar yn y gynulleidfa.

3 Rhaid paratoi'n dda, oherwydd eich bod yn cymryd amser y bobl. Yna, byddai'n egluro hyn. Os y'ch chi wedi cael eich gofyn i siarad am hanner awr a hanner cant o bobl wedi dod i wrando, nid hanner awr y'ch chi wedi ei gymryd, ond 25 awr. Mae yna hanner awr wedi mynd o fywyd pob un o'ch cynulleidfa. Gallai'r rheiny wedi gwneud gwell defnydd o'r hanner awr na gwrando arnoch, os nad ydych wedi paratoi!

★

Wedi treulio dros hanner can mlynedd mewn bywyd cyhoeddus rwy wedi dysgu erbyn hyn bod pobl yn gwrando â'u llygaid. Pan mae'r ddwy lygad wedi eu hoelio arnoch chi, ma' nhw'n gwrando. Ma' rhai, wrth gwrs, yn troi i edrych i rhyw gyfeiriad arall neu'n edrych ar eu watsys. Ond y mwyaf deifiol o ddiflastod yw'r person hwnnw, nad yw'n edrych ar ei wats yn unig, ond sy'n ei thynnu yn rhydd o'i arddwrn, ei rhoi wrth y glust a'i hysgwyd i weld a yw hi'n mynd!!

Cewch eraill sy'n agor eu ceg fel giâr a gêp. Mae llai yn cysgu nawr mewn cyfarfod nag oedd, ma' nhw'n fwy bonheddig, ma' nhw'n cysgu adref cyn dod!

*

Pan es i i'r weinidogaeth ym Mrondeifi, Llanbed, a Chaeronnen, Cellan yn 1964, fy ngweinidog adref yng Nghwmsychbant oedd y Parch. Jacob Dafis. Fe fu'n traddodi'r bregeth siars i fi a'r cynulleidfaoedd ar ddydd fy sefydlu. Roedd y capel yn llawn a daeth Jacob lawr drwy'r lle fel corwynt, "Cofiwch chi aelodau Brondeifi a Chaeronnen mai Bugail y'ch chi wedi ei gael ac nid ci defaid!! Cofia dithe Goronwy i sefyll wrth eu traed nhw ac nid tan eu traed nhw." Yna, fe ychwanegodd y frawddeg hon, "Cofia di Goronwy, mai'r rhai sy'n dy wablo di heddi fydd yn dy shafo di fory!!"

Cyn pen fawr o dro dysgais mai hanfodion araith neu bregeth ddelfrydol oedd cael dechrau da a diweddglo cryf, heb ormod o ddistans rhwng y ddau. Bellach rwy'n gweld synnwyr yn y dweud Saesneg, "*If you don't strike oil in ten minutes – stop boring.*" Cadw hefyd at y 3 's' "*Stand up, speak up and shut up.*"

Cyfansoddodd Dic Jones englyn i gofio Jacob:

Y byrgoes byw ei ergyd – y 'mennydd
Miniog eu dywedyd,
Glewaf oedd, a'i gelfyddyd
Yn ysgafnhau beichiau'r byd.

Cymeriadau Llanbed a'r fro

Codwyd capel cyntaf Brondeifi yn 1874 a'r presennol yn 1904. Oddi ar 1874, fi yw'r trydydd gweinidog yno. Bu Rees Cribin Jones yno am 42 mlynedd, T Oswald Williams am 48 mlynedd, a finne, hyd yma, wedi croesi 46 mlynedd. Mae pob gweinidog sy'n dod i Brondeifi yn cael *life sentence*. Roedd gan y gweinidog cyntaf, Rees Cribin Jones, ffordd arbennig o gyhoeddi'r casgliad ar y Sul. "Fe ddaw'r cyfeillion o amgylch i gymryd y casgliad a does dim disgwyl i neb sydd mewn dyled i roi dim." Byddai'r bocsys casglu yn dod nôl yn llawn i'r ymylon – doedd neb am i eraill ystyried ei fod mewn dyled!!

★

Y Sul cyntaf i mi ddechrau ar fy ngweinidogaeth ym Mrondeifi oedd 8 Tachwedd, 1964, â'r Capel yn gymharol llawn. I'r chwith o'r pulpud yr eisteddai Lena Davies, cyn-athrawes a dreuliodd y rhan fwyaf o'i hoes yn dysgu yn Y Barri. Roedd Lena yn tueddu i siarad Saesneg er iddi gael ei chodi yn Llanbed. Beth bynnag, ar ddiwedd y gwasanaeth y Sul hwnnw ces fy ngalw ati. Cydiodd yn ei bag llaw a'i agor a chwilio am y pwrs arian a thynnu papur deg swllt ohono a'i roi yn fy llaw. "Wel, ma' ddechrau da," meddyliwn i gan obeithio y byddai hyn yn digwydd bob Sul. Ond cyn fy mod i'n cael cyfle i ddiolch, medde Lena, "*Go and have a haircut.*"

*

Roedd hi'n arferiad y pryd hynny i'r diaconiaid fynd o amgylch i gartrefi'r aelodau gyda'r gweinidog newydd a'i gyflwyno iddynt. Doedd dim pawb o blaid fy nghael yn weinidog arnynt am nad oedd gennyf radd bryd hynny. Dyma fynd gyda Tom Lloyd, trysorydd a diacon, ac ymhlith y rhai a ddewiswyd ganddo i ymweld â nhw, oedd aelod nad oedd am fy ngweld yn dod yn weinidog ym Mrondeifi. Wrth agosáu at ddrws y tŷ dyma Tom Lloyd yn dweud wrthyf, "Fi fydd yn siarad fan hyn, bydd di'n dawel."

Mewn yr aethon ni a ches fy nghyflwyno gan Tom Lloyd. Dyma wraig y tŷ yn dweud, "Machgen bach i, ma' gyda chi waith mawr i ddilyn y cyn-weinidog, ta beth am lanw ei sgidie fe." Dyma Tom Lloyd yn ateb, "Mrs Jones, y'n ni wedi gwahodd Goronwy yn weinidog ym Mrondeifi i lanw sgidie ei hunan a neb arall. Rwy'n siŵr y gwna hynny ond iddo gael cefnogaeth. Nos da nawr ac fe awn ni mlân ar ein taith."

*

Ro'n i'n byw yn y tŷ capel yng Nghwmsychbant gyda Mam yn gofalu a glanhau'r capel. 'Nhad wedyn oedd yn torri'r fynwent a hynny gyda phladur – ac fe'm dysgodd i sut i drin y bladur. Pan ddes i Brondeifi doedd neb yn gwybod 'mod i'n gallu dilyn pladur. Ym mis Mehefin y flwyddyn ddilynol dyma fynd ati i drefnu noson i dorri'r gwair yn y fynwent. Daeth rhyw ddwsin ynghyd gyda'u cryman a rhai â'u pladuriau.

Medde un o'r criw, "Beth am roi gwaith i'r Gweinidog, ma' fe'n grwt ifanc cryf!" Un arall yn porthi, "Ie, mae'n gyfle da i dorri fe mewn!" Dyma Reggie Castell yn gofyn i fi, "Lice chi *go* ar y bladur?" Medde Islwyn y Banc wedyn, "Fe hoga i hi i chi yn lle'ch bod chi'n bwrw bai ar y tŵls!" Wedi'r hogi dyma Reggie'n ychwanegu y byddai'n eitha' peth i gael sêt ag *engine*.

Roedd hi'n noson braf i dorri porfa gyda phladur, digon o leithder yn ei fôn. Y bladur yn fy nwylo, rhyw ddwsin o bobl yn edrych arnaf gan rhyw hanner gwenu. Medde un o'r criw, "Ar ôl tri, bant â chi – Un, dau tri..." A bant â fi. Yn wir, dyna'r ystod ore dorrais i erioed â phladur. Yna, wedi mynd rhyw ddeg llath troiais nôl i edrych – doedd neb 'na, roedd pob un wedi diflannu a phawb a'u pennau'n isel wrth eu gwaith. Wrth adael ddiwedd y nos, medde Reggie, "Rwy'n credu ddylen ni roi'r fynwent mewn yn y *contract* hefyd!"

*

Hydref ar ôl i mi ddod i Frondeifi, penderfynwyd torri'r berth uchel oedd o amgylch y fynwent. Daeth tyrfa dda o fechgyn ynghyd un Sadwrn i wneud y gwaith, ac yn eu plith John Kings Head, un o'r diaconiaid. Torrwyd a phlethwyd y cyfan ar wahân i rhyw ddeg llath. Roedd hi'n gwrdd prynhawn y Sul wedyn, a bu John a rhai o'r bechgyn yno yn edmygu'r gwaith a wnaed. O rywle fe ddaeth un o wragedd y capel a synnu eu bod nhw wedi gadael rhyw ddeg llath ar ôl. Wrth glywed hyn dechreuodd wefusau John symud a chwarae a'i lygaid wylltu, fel pe bai'n barod i ddweud rhywbeth ac ymateb iddi. Ond ymatal wnaeth e. Daeth y wraig yma nôl yr eildro i gwyno, "Hawyr bach, beth yw gadael y darn 'na ar ôl, gwaith rhyw ugain munud!" Y tro 'ma, dyma John yn ateb, "Ma' hwnna ar ôl i dy ŵr di achos fuodd e ddim 'ma o gwbwl!" Mewn yr aeth hi i'r Capel ac eistedd yn dawel yn ei chôr.

★

Roedd Herbert Rees yn ddiacon ym Mrondeifi ac yn ystyried ei hunan yn un o VIPs y dref a'r cylch. Fe oedd y negesydd yn swyddfa Arnold Davies y cyfreithwr. Yn 1959, daeth Eisteddfod Genedlaethol yr Urdd i Lanbed. Rhoddwyd Herbert Rees yng ngofal mynedfa y gwahoddedigion ond doedd neb ohonynt i fynd mewn heb docyn. Pwy ddaeth i'r fynedfa mewn car ond Syr Ifan ab Owen Edwards, ond heb ei docyn. Y wybodaeth gafodd Herbert Rees oedd nad oedd neb i gael mynediad heb docyn.

"Bachgen," medde Syr Ifan wrth Herbert, "Y'ch chi ddim yn fy adnabod i?" Medde Herbert nôl, "Sdim ots 'da fi pwy ddiawl y'ch chi, heb diced sdim dod mewn 'ma i ga'l." Fel hynny buodd hi. Mae'n debyg i Syr Ifan adrodd y stori o lwyfan yr Eisteddfod yn ystod yr ŵyl a chanmol Herbert Rees am ei waith fel stiward.

*

Daeth y teledu i Lanbed yn yr 1950au. Wedi iddi ddod, dyma Herbert Rees ar y ffôn â William John yn Town Hall Radio yn gofyn am "set o'r *wireless* a llun". Ymhen wythnos o'i chael dyma Herbert yn ffonio William John a dweud, "Dere i nôl y *wireless* a llun nôl, does neb o Gwmann arni." Rhyfedd fel mae'r blynyddoedd yn newid pethau. Heddi, mae yna nifer o Gwmann arni.

*

Aelod ym Mrondeifi oedd Dan, Pwllybilwg, Drefach. Cefais wahoddiad i fynd i bregethu yng Nghwrdd Diolchgarwch Capel Bethel Drefach yn fy mlwyddyn gyntaf fel gweinidog. Tafarn y pentref oedd Penpompren. Pan gyrhaeddais gapel

Bethel roedd Dan tu allan yn fy nghroesawu. Medde, "Cofia mod i'n lico bod nesa'r drws yn Bethel ond nesa'r bar yn Penpompren!!" Y neges – i beidio bod yn faith.

★

Yn cydweinidogaethu â mi yn Llanbed yn y cyfnod cynnar roedd Trefor Lloyd, Huw Matthews, Glyn Williams, T R Evans a John Roberts. Daeth John i Lanbed o Sir Benfro yn Llafurwr mawr ac yn asiant i Donelly. Doedd pawb ddim yn hapus gyda'i ddaliadau. Pregethwr grymus ydoedd â'i neges yn ddwys bigo'i gynulleidfa. Treuliodd rhyw dair blynedd cyn ymuno ag Adran Grefydd y BBC. Roedd y bregeth ar y nos Sul olaf yn Soar yn ddigon i wneud i wallt eich pen sefyll. Aeth un o'r rheiny nad oedd o'i blaid ymlaen ar ddiwedd yr oedfa a dweud wrtho, "Mae'n flin eich bod chi'n ein gadael ni a chithe wedi gwella i bregethu." "Ie," medde John, "a chithe wedi gwella i wrando!!"

★

Roedd siop Jac Olifer y Barbwr a'r bardd o Ffair Rhos yn barliment y dref. Bathodd Jac slogan a'i gosod uwchben drws ei siop, *Put your hair in Oliver's care*. Roedd un wal o'r siop yn llawn lluniau o enwogion y genedl a fu yno ar ryw adeg yn torri eu gwallt. Yno hefyd roedd dros 800 o rubanau a enillodd Jac am gyfansoddi cerddi a limrigau mewn eisteddfodau. Cyfansoddodd Tydfor a Dic yr englynion canlynol iddo:

Llys hapus yr holl siopau – ei un ef
Gwelwn ar y waliau
Fawrion ebolion y bau
Yn rhwydwaith y toriadau.

(Tydfor)

Ioan Farbwr foi hirben – hoff o wit
Mewn tri pheth mae'i elfen,
Trwsio gwallt; raseri gên
A throi ym mhethau'r awen.

(Dic)

Roedd Jac yn limrigwr o'i fodd. Dyma un o'r cannoedd a gyfansoddodd:

Roedd Sioni gwas bach fferm y Dolau
Bob tro ar ei feic heb ddim golau
Yn sydyn un nos
Fe syrthiodd i'r ffos
Adnabwyd ef wrth ei bedolau.

*

Yn y saithdegau ar orchymyn y Llywodraeth bu raid cau busnesau am rai oriau yn y prynhawn er mwyn arbed trydan. Gwaith yr heddlu lleol oedd gofalu bod hynny'n digwydd. Y Rhingyll Peter Hynd oedd yn gofalu am Stryd y Porthmyn, Stryd y Bont a chanol y dref. Un o'r busnesau yn yr ardal yma oedd siop Jac Olifer y barbwr.

Cario mlân a'i fusnes a wnai Jac ar waetha'r gwaharddiad. Roedd Peter wedi priodi â Thelma merch Buckingham House, Llanbed. Galwai Peter yn ddyddiol gyda Jac, o ddydd Llun i ddydd Gwener, i geisio ganddo gau'r siop am ddwy awr a diffodd y trydan. Waeth hynny na pheidio, dal i hymian wnai cliper y barbwr. Rhyw ddiwrnod collodd Peter ei amynedd a dweud y byddai'n rhaid rhoi symons iddo os nad oedd yn gwrando. Dyma

Jac yn dweud wrtho, "Drych 'ma Peter, merch Buckingham House yw dy wraig di ac nid Buckingham Palas."

*

Cymeriad arall a ddaeth i fyw i Lanbed o Gorsgoch oedd Dai Llain neu Dai Steam Roller, tad Super Jim. Dyma storïwr heb ei debyg. Roedd Dai yn hoff o fynd i'r Royal Oak am ei beint. Person arall fydde'n galw yno ar ôl gwaith oedd y cyfreithiwr Vincent Evans. Nid yn aml mae'r cyfreithiwr yn cael ei ddal!

Cyfarfu Vincent a Dai ei gilydd rhyw noson yn y Royal Oak. Gofynnodd Vincent sut hwyl oedd arno. Dyma Dai'n ateb a dweud nad oedd yn dda iawn oherwydd y ddannodd. "Paid becso," medde Vincent, "fe wella i hwnna i ti nawr." Dyma fe'n troi at y tafarnwr, "Trwbler o whisgi i Dai plis." Roedd Dai yn wên o glust i glust a diolchodd i Vincent am y whisgi ac ychwanegu, "Cofia, dannedd gosod sydd 'da fi ers ugain mlynedd."

*

Un arall o gymeriadau Llanbed oedd Wat Bach, gŵr bach o ran maint ond un parod gyda'i ateb. Roedd yn hoff o eistedd ar sgwâr y dref i ddarllen papur y *Sun*. Pwy ddaeth heibio rhyw ddydd oedd ei gymydog, Tommy Letrig. O'i weld yn darllen y papur, medde wrtho, "Wat bachan, tudalen pedwar nid tri sydd gyda ti 'te?" "Ie," medde Wat, "rwy'n lico gweld shwt ma' nhw'n edrych o'r cefen gynta!!"

★

Cymeriad hoffus a gweithgar oedd Mari Werndriw. Hi oedd yn dosbarthu a chasglu'r poteli lla'th mewn rhan o'r dref. Ar un adeg bu'n helpu yng nghaffi'r Eagle yn y Stryd Fawr. Un diwrnod, daeth gwraig mewn cot ffwr mewn i'r caffi i gael cinio, Saesnes wedi dod am dro i'r dref. Cyn y pryd fe ordrodd ddisgled o gawl. Dyma Mari'n dod yn ofalus at y ford, y ddisgl yn llawn i'r ymylon gyda'r ddau fys bawd yn y cawl. Roedd y fenyw yn teimlo'n gas am hyn a dywedodd wrth Mari, "*Your thumbs are in my soup.*" "*Never mind,*" medde Mari, "*it's not hot.*"

*

Bûm yn ysgrifennydd Eisteddfod Rhys Thomas James, Llanbed am dri deg pump o flynyddoedd a thrwyddi des i adnabod cymeriadau lliwgar iawn. Un o'r rheiny oedd y gŵr ffraeth a'r arweinydd 'steddfod D T Lloyd, Llangybi. Roedd yn feistr ar ddweud stori ac yn byrlymu o hiwmor iach. Ble bynnag roedd DT, roedd yna hwyl a chwerthin.

Dewiswyd Moc Morgan, Jacob Dafis ac yntau DT i arwain eisteddfod gyntaf Rhys Thomas James, Llanbed. Dywedwyd wrth y tri ohonynt nad oedd angen jôcs wrth arwain yr Eisteddfod oherwydd fe fydde hynny'n colli amser. Ymateb D T Lloyd oedd, "Mae'n rhaid cael hwyl a hiwmor, cofiwch mai 'steddfod y'ch chi'n drefnu nid angladd." Penderfynwyd cyfaddawdu – gellid dweud stori fer os byddai saib yng ngweithgareddau'r llwyfan. Fe ofalodd D T Lloyd bod yna sawl saib ar gael i'r storïau ac fe glywyd perlau.

Un stori debyg oedd yr un am y ddau gigydd yn y de. Roedd y ddwy siop gyferbyn i'w gilydd ac un yn ceisio trechu'r llall gyda'i sloganau.

Rhyw fore roedd slogan un yn darllen, *We sell sausages to the Queen*. Eiliadau ar ôl hynny mae'r llall, o weld y slogan, yn bathu ei un ef a'i roi uwchben drws ei siop, *God Save the Queen*.

★

Un arall wedyn am yr heiciwr wedi colli ei ffordd ar fynydd Tregaron, heb air o Gymraeg ganddo. Cnociodd ar ddrws cartre'r bugail a'i wraig a doedd dim Saesneg gyda nhw. Dyma fe'n gofyn, "*Husband and wife*?"

"John a Mari y'n ni," medde John. Fe gredodd yr heiciwr mai brawd a chwaer oeddynt. Dechreuodd lygadu a ffansïo Mari, oedd yn ferch bert iawn. Rhoddodd yr heiciwr ei fraich rownd iddi a'i chusanu. Dyma John yn gwylltu ac yn gweiddi, "Stopa fe, Mari." Atebodd Mari, "Alla i ddim John, sdim digon o Saesneg 'da fi."

*

Enillodd y Prifardd Dic Jones ar Ddeg Epigram yn null Sarnicol yn 1973. Dyma rai ohonynt:

Dyn drws nesaf wrthi'n brysur,
Dysgu'r wraig i ddreifio modur,
Mewn pythefnos lawr i'r pentre
Mo'yn TV i'w chadw adre.

Bois yr hewl yn hala wsnoth
I darro'r ffordd ar bwys Rehoboth
Torri cwter yno dranno'th.

Mae ffermwr yn achwyn o'r crud i fyny
Pe na fedrai achwyn byddai'n achwyn am hynny.

Yna, yn yr un gystadleuaeth, dyma gynnyrch R E Jones, Llanrwst:

Beddargraff

Y wraig fan yma'n gorffwys sydd
Yn rhydd o afael pob rhyw glefyd,
Ac am y tro cynta' ers llawer dydd
Rwyf finnau yn cael gorffwys hefyd.

*

Enillodd Dic Jones y Goron eto yn 1974 am gyfres o Benillion Telyn.

Gyrru adre ar nos Sadwrn
Cur 'y mhen i'n poeni'n gynllw'n,
Bore drannoeth yn y Cymun
Cur 'y mron i'n waeth o dipyn.

Daw'r gwair yn gloi i gwlwm
Os caiff e haul a gwynt,
Ond deued cwmwl heibio
Fe ddaw e dipyn cynt.

Mae cwrw gwell na'i gilydd
Er nad oes cwrw gwael,
Ond man lle bo nghyfeillion
Mae'r cwrw gore i'w gael.

Prynu ffarm yw prynu ffwdan
Prynu gwaith yw benthyg arian,
Prynu gwael yw prynu o gwbwl,
Prynu dim yw prynu trwbwl.

Y mae'r wraig yn poeni'n gynllw'n
Fod ei dillad mas o ffasiwn
Bod ar ôl y ffasiwn yma
Yw bod o flaen y ffasiwn nesa.

Yn yr haf fe ddaw yr heulwen,
Yn yr haf daw cân i'r gangen,
Yn yr haf daw'r clêr i bigo
A'r ymwelwyr yma i drigo.

Mae'r un sydd ganddo i'r gwleidyddion yn fy atgoffa am stori a ddigwyddodd ym mart Aberteifi. Y pennill yw:

Addo hyn ac addo arall
Mae'r gwleidyddion uwch pob deall,
Byddai'n dipyn haws eu gwrando
'Tae'n nhw'n addo peidio addo.

★

Blynyddoedd yn ôl pan oedd y Torïaid mewn grym, ar adeg un o'r etholiadau, danfonwyd ganddynt yr aelodau trymion, hynny yw aelodau o'r Cabinet, i rai etholaethau. I Geredigion, danfonwyd John Stradling Thomas. Wrth fynd o amgylch y mart byddai'n cyflwyno ei hun i'r ffermwyr. "*I'm John Stradling Thomas.*" "*Pleased to meet you,*" oedd yr ateb. Wedi cyflwyno ei hun i ddegau, cyfarfu ar y ffordd allan â stacan o ffermwr bach yn pwyso yn erbyn wal. Cyflwynodd ei hun iddo gyda'r un ffras, "*I'm John Stradling Thomas.*" Ac atebodd y ffermwr, "*Pleased to meet you and I'm John Struggling Jenkins.*"

★

Pan oedd T Llew Jones yn dathlu ei ben-blwydd yn 90 oed, arwyddodd dros dri chant o'i lyfrau i siop y Smotyn Du. Iolo y mab oedd yn casglu'r llyfrau a'u dychwelyd a T Llew yn eu harwyddo. Gan bod y nifer yn cynyddu bob wythnos, dyma ofyn i Iolo beth allwn roi i'w dad am wneud y gwaith. Penderfynwyd ar botel o Bells. Danfonwyd hi lawr gyda'r bocs nesaf. Trannoeth gyda'r bocs ddaeth nôl, roedd T Llew yn diolch gyda'r gwpled yma:

Diolch a wnaf yn dawel
Am byth am win Wiliam Bell.

A dyma'r gwpled yn llawysgrifen T Llew:

Diolch a wnaf yn dawel
Am byth am win Wiliam Bell

Diolch eto

T Ll

★

Bob nos, cerddai Emyr Papure strydoedd y dref a'r cylch yn gwerthu'r *Evening Post*. Lawr yn Stryd y Coleg cyfarfu â dwy ferch a'u cyfarch a gofyn iddynt a hoffen nhw brynu'r *Evening Post*. "Na," boneddigaidd oedd yr ateb. Perthynai'r merched i Dystion Iehofa. Dyma nhw wedyn yn gofyn i Emyr, "*Would you like to come with us to find God*?" Dyma Emyr yn ateb, "*Oh, I didn't know He was lost*!!"

★

Daeth y Parch. John Thomas (John Bach) i fyw a chartrefu o Landdewi Brefi i Hafan Deg yn Llanbed. Anfynych y gwelid ef ar hyd y lle heb ei bastwn. Pan benderfynodd fynd i'r Coleg i baratoi ei hunan ar gyfer y weinidogaeth, dyma rhywun yn ei gynghori a dweud wrtho, "Wel, John, a thithe'n mynd i'r weinidogaeth fe fydd rhaid i ti anghofio'r bastwn." "Na," medde John, "Falle mai dyna pryd y bydda i angen e fwya."

★

Mae perlau yn cael eu clywed mewn gwleddoedd priodasau, fel y canlynol. Mae tair modrwy ynghlwm wrth briodas, *engagement ring*, *wedding ring* ac wedyn y *suffering*.

★

Bu Johnny Bayliau, Cellan, fyw tan ei fod yn 90 oed. Pan ddes i'n weinidog yn Llanbed roedd gan Johnny gar Wolseley 444. Roedd ei droed dde braidd yn drwm ac roedd cyfarfod â Johnny yn ei gar rhwng Cellan a Llanbed yn dipyn o brofiad.

Rwy'n cofio iddo adrodd stori am roi reid i rywun o Gellan i Lanbed yn y Wolseley. Wedi cyrraedd Llanbed, diolchodd y person iddo am y ddwy reid. "Pwy ddwy reid?" medde Johnny. "Y cyntaf a'r olaf," medde'r person.

★

Clywais lawer i stori dda yn y Cylch Cinio. Daeth cyfreithiwr nid anenwog i siarad yng nghinio blynyddol Clwb Rygbi Llanbed. Bu ar ei draed am dri chwarter awr, ond wedi hen golli ei gynulleidfa, gyda'u lleisiau nhw wedi mynd yn uwch na'i lais e! Dyma fe'n sylweddoli hynny ac yn ceisio ennill eu clustiau a'u sylw eto trwy weiddi a gofyn, "Ble mae'r cloc?" Cafodd yntau'r ateb o'r cefn. "Sdim syniad 'da fi ble mae'r cloc ond mae'r calendr tu ôl i chi."

*

Rhai blynyddoedd yn ôl gofynnwyd i'r Athro Seimon Ifans ddiolch i Gareth Owen, y siaradwr gwadd. Wrth wneud hynny soniodd am y dyn hwnnw oedd yn rhwym. Tra yn y dref aeth mewn at y Fferyllydd i ofyn am foddion i gymryd ato. Dyma'r Fferyllydd yn gofyn iddo, "Shwt y'ch chi'n mynd adref?" "Bws," medde'r dyn. Gofynnodd y Fferyllydd eto, "Faint o daith yw hi?" Atebodd y dyn, "Ychydig dros hanner awr." Holodd y Fferyllydd faint o ffordd oedd hi o'r bws i'r tŷ. "Gwaith rhyw ddeng munud," atebodd y dyn. Rhoddodd y Fferyllydd dair llwyaid o bowdwr mewn cwpan a'u cymysgu â dŵr ac ysgwyd y cyfan. "Nawrte, cymrwch hwn a gofalwch fynd am adref yn syth." Ac i ffwrdd â'r dyn i gwrdd â'r bws.

Ymhen wythnos aeth yn ôl i'r dref eto a galw yn y Fferyllfa. Dyma'r Fferyllydd yn gofyn sut weithiodd y moddion. Medde'r dyn, "Bachgen, o'ch chi'n brin o ddeg llath. Anghofies i ddweud wrthoch chi mai ar waelod yr ardd oedd y tŷ bach!!"

★

Gŵr fyddwn i'n falch iawn pe bawn i wedi cael cyfle i gyfarfod ag ef oedd Idwal Jones, y dramodydd, y digrifwr, y limrigwr ac awdur caneuon ysgafn. Bu farw yn 1937 yn 42 mlwydd oed. Mae bron i dri chwarter canrif ers hynny ond mae ei enw a'i hiwmor yn fyw o hyd trwy ei waith.

Yn 1876 penodwyd David Jones, tad Idwal, yn ysgolfeistr ar Ysgol Fwrdd Felin-fach gyda'i wraig Sarah yn athrawes wnïo. Roedd yn athro gwych ond yn 1891 ymddiswyddodd fel ysgolfeistr. Yn ôl y *Welsh Gazette*, y rheswm oedd bod llywodraethwyr yr ysgol yn Doriaid ac iddo gael ei ddiswyddo am ei fod yn Ryddfrydwr pybyr.

Wedi ymddeol a dod i fyw i Lanbed mabwysiadodd yr enw Teifi rhwng y David a'r Jones. Gadawodd ddysgu a cadwodd fusnes glo yn Llanbed. Roedd aelwyd Rhoslwyn yn un anghyffredin iawn, yn llawn ffraethineb a thynnu coes. Un dydd, galwodd rhywun gyda David Teifi Jones i ordro glo. Daeth cnoc ar y drws ac Idwal atebodd. "Ai chi yw Teifi?" gofynnodd y dyn. "Nage," atebodd Idwal, "un o'r *tributaries* ydw i."

*

Roedd Idwal o flaen ei amser a thra'n byw yn Llanbed lluniodd y *North Lampeter Gazette*, papur bro cyntaf Llanbed a'r cylch. Fe oedd y golygydd a'r colofnydd, yn wir, ei waith ef oedd y cyfan. Mae ei adroddiad o'r *Lampeter Brass Band* yn llawn hiwmor a doniolwch.

> Lampeter has a glorious Brass Band. When the townspeople hear the band strike up, they flee for their lives with their fingers in their ears. They rush home and fling down the windows for fear the terrible sound will break the glass. The players have wool in their ears and, as it is, they are counted as heroes, because they are able to bear the tremendous roar. This band is said to have been played by Noah and his family while in the ark and to have been handed down from family to family until it reached the hands of William the Conqueror. No doubt this was the band which cheered the soldiers at the Battle of Hastings. We also think we know now how the English were beaten. It has come to Lampeter. The beautiful brass is brilliantly polished once every century.
>
> Editor

★

Bu Idwal yn astudio yn y Brifysgol yn Aberystwyth a bu lan i bob drygioni yno. Tu allan i'r Hen Goleg mae yna ddelw o Dywysog Cymru. Gwyngalchodd Idwal hwnnw y noson cyn ei ddadorchuddio. Gwisgodd sgarff am ei wddf, rhoi pibell yn ei geg a doli rhwng ei freichiau. Yna rhoddodd y llenni nôl drosto. Ychydig oriau cyn y dadorchuddio, gwelodd rhyw borthor y gwyngalch. Llwyddwyd i'w olchi yn lân erbyn y seremoni. Bu'r plismon wrthi'n chwilio am y troseddwr – ond ni gafodd ei ddal!!

★

Ar ôl gorffen ei gwrs yn y coleg, dewiswyd Idwal, yn 1924, yn ysgolfeistr Ysgol y Mynach, Pontarfynach. Prynodd foto-beic a thu ôl i hwnnw cariai nwyddau o Aberystwyth i Bontarfynach. Pan gyrhaeddai Tŷ'r Ysgol doedd y nwyddau ddim yno. Rhaid oedd troi nôl i chwilio amdanynt, cael y cig yn ymyl Goginan a'r pysgod gerllaw Ponterwyd.

★

Ym Mhontarfynach, cychwynnodd bapur bro arall. Roedd *Y Clochydd* yn cynnwys erthygl flaen, newyddion, hysbysiadau a cholofn Bodo (Anti) Leisa. Dyma ddarn o'r golofn honno. Derbyniwyd llythyr oddi wrth ferch ifanc oedd yn nodi ei henw a'i chyfeiriad yn fanwl fel: "Miss Harriet Muffet, Mackerel House, Cockles Lane, Oystermouth". Ychwanegodd Bodo Leisa, "Teimlwn rywsut fod rhywbeth yn *fishy* o gylch y llythyr hwn."

Mynach General Hospital – Hysbyseb:

> Bydd Nyrs Jones yn ddiolchgar os bydd pob un sydd yn bwriadu mynd yn sâl yn rhoi ei enw iddi yn ddioed am ei bod eisie wythnos o wyliau dros y Nadolig.

Hysbyseb arall:

> The North Cardiganshire and Penrhiwmynach Garage Co. Ltd. beg to announce that they have a magnificent 40 horsepower, 1926 Model Rolls Royce Limousine for sale. This splendid machine is most elegantly appointed being fitted with a telephone box, air cushions and reading room. Speed: 106 miles an hour with or without engine. In the radiator there is a small gramophone so that when it reaches a speed of 60 mph the machine

will continue singing 'Bydd myrdd o ryfeddodau.' If anything goes wrong with the machine it is only necessary to give it a shake and it will re-start immediately. Send for free descriptive booklet. Apply Box 5555 y Clochydd.

Limrigau Idwal

Cyfansoddodd Idwal Jones ddegau o limrigau a'u hadrodd mewn nosweithiau llawen neu, yn wir, rywle ble bydde cynulleidfa o bobl, ac fe geir cyfle i'w darllen yn ei lyfrau hefyd. Ble bynnag y byddai, fe gai ymateb ar unwaith a bydde llawer o chwerthin yn ei gwmni. Dyma rai o'r goreuon:

Ymson y Chwannen

Ebe'r chwannen, "Mae eto yn nosi
Cryn dipyn o boen rwy'n achosi,
    Fy nhynged o hyd,
    Tra fyddwy'n y byd
Yw peri dynoliaeth i gosi."

Ro'dd merch yn byw ym Mlaenffinie
A'i hysgwydde i gyd yn llawn gwinie,
    Dywedai wrth Harri
    Os oes raid i ti garu
Cofleidia fi gylch fy mhenglinie.

Yr oedd ffermwr yn byw yn Llŷn
A chornwydydd yn blotsh ar ei din,
Aeth draw i Bwllheli
I gael bocsed o eli,
A wir! erbyn hyn does dim un.

Tro gwael iawn fu ar Dan Pwll y *Gelage*
Nos Sadwrn wrth rostio ei *sausage*.
Fe fyrstiodd y cyfan
Fel bom yn y ffreipan
A lladdwyd y gath yn y *passage*.

*

Roedd Idwal yn arbenigwr ar drin geiriau a chwarae ar eiriau, fel yn y pennill i'r Oedfa Lawn:

Aeth cyfaill o stiwdent i Nebo, Llanon
Bu wrthi'n pregethu am ddwyawr o'r bron.
A phwy a fu'n gwrando am ddwyawr o'r bron?
Mae'n hawdd iawn rhoi ateb – wel, Neb o Llanon.

Yn 1930, aeth cwmni bach i Oberammergau ac Idwal yn eu plith. Roedd tywysydd yn dangos mannau diddorol yn yr Almaen iddynt. Dyma'r tywysydd yn cyfeirio at adeilad arbennig, medde, "*This is the house where the man who invented Aspirin was born.*" Atebodd Idwal fel fflach, "*Let's raise a tablet to his memory!*"

Maer y Dref yn Llanbed ar un adeg oedd Nun Davies. Medde am Idwal, "*You have genius my boy.*" Eto, atebodd Idwal fel fflach, "Nun! Nun!" Chwarae ar eiriau.

★

Idwal Jones

Troi pob J yn I fel wnâi y puryddion yn y cyfnod hynny. Dangosodd Idwal ddigrifwch y newid mewn pennill:

Nid oes J yn yr iaith Gymraeg

Iemeima Iên, Iemeima Iên,
Rwy'n dy garu, ni wn paham,
Ond hyn a wn, mae fy weien fach
Mor felys a llwyed o Iam!
Ond a oes raid i'm ei hannerch hi
Fel yma? Yn wir, mae'n beth syn,
Waeth, wyddoch chi beth, myn Iawl i bois,
Nid Iôc yw rhywbeth fel hyn!

★

Bu Idwal yn wael ei iechyd am amser hir ond cadwodd ei ddireidi a'i hiwmor hyd y diwedd.

Roedd Almaenes yn *governess* i un o deuluoedd Llanbed ac ar gi bach y teulu rhoddodd yr enw Mozart. Daeth Olwen chwaer Idwal nôl o'r dref rhyw ddiwrnod ac yn ei syndod medde wrth Idwal, "Beth wyt ti'n feddwl glywes i yn y dref nawr? Wel y *governess* yn galw ar y ci, '*Come here, Mozart.*' Glywest ti'r fath beth erioed?"

"Wel," mynte Idwal, "mae'n od ond falle byddai'n well gen ti ddweud, Dere 'ma Bach."

*

Erbyn canol 1937 roedd Idwal ar ei wely angau. Roedd y dramodydd a'i ffrind, Mary Lewis Llandysul, yn mynd am dair wythnos o wyliau i Budapest. Penderfynodd Mary alw gyda Idwal cyn mynd. Tra oedd allan yn Budapest bu'n meddwl a ddanfonai gerdyn i Idwal. Penderfynodd wneud. Daeth y gwyliau i ben ac wedi cyrraedd stesion Llandysul gofynnodd i'r sawl ddaeth i'w chyfarfod, "Ydi Idwal yn dal yn fyw?" Odi, oedd yr ateb. "Lan a ni 'te i Lanbed i'w weld."

Fe gyrhaeddodd Rhoslwyn a mynd lan i'r llofft i weld Idwal. Roedd yntau wedi gwaethygu, roedd ei lais wedi gwanhau ond nid oedd y wên wedi pylu. O'i gweld, diolchodd Idwal am y garden o Budapest. Yna, gofynnodd i Mary, "Beth yw'r Gymraeg am *hen-pecked husband*?" "Dim syniad," medde Mary. "Weda i wrthoch chi," medde Idwal, "BYW 'DA PEST." Bu farw Medi 18, 1937 yn 42 oed. Mae ei hiwmor a'i ddigrifwch yn dal yn fyw o hyd. Diolch am bobl fel 'na sy'n gwneud i ni chwerthin.

*

Yn ystod Eisteddfod Rhys Thomas James Pantyfedwen, Llanbed yn 1995 cynhaliwyd cystadleuaeth yn gofyn am gyfansoddi limrigau yn null Idwal Jones. Y buddugol oedd Dic Jones a dyma ddau o'r goreuon ganddo:

Mae wastad yn gryn baradocs
I mi beth sy'n digwydd i socs,
　　Waeth faint sy'n y drâr
　　Rwy'n cael un o bob pâr –
Ac un arall yn sbâr yn y bocs.

Os mai dyn gwerthu sôls yw ffisishan,
Ac mae'ch starfo yw gwaith dietishan,
　　Ys gwn i a yw
　　Dau Iddew'n Jiw Jiw
A pharot â'r ffliw'n bolitishan?

*

Rwy'n falch mod i'n Gymro ac yn falch mod i'n Gardi. Mae yna wahanol raddfeydd o Gardis. Ond mae'r gwir Gardi yn troi'r stôf i ffwrdd cyn troi'r bacwn. Fe hefyd sy'n defnyddio fforc ac nid llwy yn y basn siwgr. Yn ôl Jacob Dafis, y Cardi yw'r dyn sydd am briodi ei ferch ar y clôs adref, er mwyn i'r ffowls gael y reis.

Sarnicol sy'n dweud amdano:

Un aml ei gân am le gwell
A'i lygad ar ei logell.

Ond beth am hwn gan Dic:

Fe gafodd Cardi letric sioc
A gorfod cael ocsigen gyda'r Doc
Ond marw wnaeth e a'i wyneb yn las
Roedd e'n pallu'n lân a'i anadlu fe mas.

Ond rwy'n hoff o englyn Rhys Nicholas iddo:

Gŵr annwyl ac ariannog – a rhyw boen
Ar ei wyneb serchog
Un cynnil ar bob ceiniog
Dyna'i reddf ond nid yw'n rôg.

Y peth mawr amdano, mae e'n gallu chwerthin am ben ei hunan.

Alla i ddim meddwl am ffordd well i gloi'r llyfr na throi nôl at Eisteddfod Rhys Thomas

James Llanbed. Dyma ddwy gerdd ddigri a gyfansoddwyd gan ddau Gardi – 'Y Trip' gan Ifor Owen Evans, Sarnau yn tynnu coes Idris ac Elsi Reynolds a'r llall, 'Drwgdybio' gan Roy Davies, Penrhiwllan a Phenbre. Mae'r ddwy gerdd yn dangos hiwmor y Cardi ar ei orau:

Y Trip

Nid wy'n berchen Golf na Rover, nid oes gen i enw o gar
Ond mae gen i hen feic rali a'i three spîd ar y bar.
Gofyn wnes un dydd i Elsi ddod am reid, ca'l bach o sbri
Lan i'r Cei neu draeth Cwmtydu, dwedodd hithe ei bod hi'n ffri.

Daeth yr amser penodedig un nos Sadwrn, minnau'n swil,
Idris yn y porch yn darllen hen gywyddau Dai ap Gwyl
Ar ôl ei rhoi yn reit gysurus ar y bar a bant â ni
Idris ar ein hôl yn gweiddi "fachgen whare teg i ti."

Elsi'n gorfod sgwaru 'choese, roedd y *lever* ar y bar
Finne'n newid gêrs yn amal, hithe'n dweud "Mae'n well na car."
Wedi troi yn Ffynnonddewi i gyfeiriad glan y môr,
Dwedodd Elsi yn grynedig bod hi'n teimlo braidd yn ôr.

Aeth i sôn am rhyw hen ofid oedd ar Idris am yr iaith
Ac nad oedd byth am glywed englyn na hen awdlau tywyll chwaith
Medde hi, "Rwy wedi laru, mae'r gynghanedd imi'n boen
A'r hen iaith yn fy nghaethiwo a hen feirdd yn mynd dan fy nghroen."

A dechreuodd siarad Saesneg, "My dear Clint shall we proceed,"
Lawr â ni am Penrhiwfothe a'r hen feic yn codi spîd.
Ar ôl gorwe ar yr odyn am rhyw awr yn siŵr i chi
Dyma hi'n edrych yn fy llygaid, "Shall we go into the sea."

Hithau'n dechre tynnu dillad a'u rhoi yn deidi ar y *sand*,
Yna'n gofyn i mi'n gwrtais, "Would you please give me your hand."
Nofio buom ni am dipyn, neb yn sylwi ar y teid
Hwnnw yn dod miwn yn raddol fel mae teid yn apt i neud.

Ac na chyffrwy, erbyn sylwi, roedd y dillad ar y sand
Nawr yn ffloto ar y tonne ac yn bwrw am Ireland.
Y *lingerie* a'r smalls a'r pethe yn rowndio heibio craig Penparc
A'r wonder bra fel pâr o gogls aeth yn sownd ar ben rhyw siarc.

Y broblem nawr oedd shwt mynd adre a Elsi'n borcen ar y bar
Ac wedi meddwl, o ran hynny, doedd gen innau ddim byd ar,
Ond fe gafodd Elsi syniad, mynd at Danny i Glandon
A gofyn yn ei Saesneg gore, "Have you got something to put on."

Chwilio'r dreirie a'r cwpwrthe a'r corneli bric a brac
Doedd dim byd yn ffito Elsi, ond fe ffeindiwyd Union Jac.
Ac os credwch chi neu beidio daethom adre yn jacôs
Hi a'r faner yn ei chuddio, finne'n cwato tu ôl i'r gôs.

Ac wrth ddod drwy Capel Ffynnon, fe ddaeth Oernant yn ei gar
Nid bod hynny ddim rhyfeddod, waeth mae wastod ar y tar.
Cymaint oedd y sioc a gafodd wrth weld Els a fi yn dod,
Cwympo wnaeth y specs o'i dalcen ar ei drwyn lle we'n nhw fod.

Meddai, "Arglwydd dyro awel, awel gref nid awel wan
I godi ymyl baner Lloegr rhyw ddwy droedfedd yn nes lan."
Cyrraedd Bryn-y-môr 'mhen tipyn, Idris yn y drws yn grac
Nid o weld bod Elsi'n borcen ond y blydi Union Jac.

Chi fois ifanc yr oes fodern a'ch mountain beics a'ch pethe i gyd
Os gofynnwch am farn Elsi, mae lot i weud am feic three spîd.

(Ifor Owen Evans)

Drwgdybio

Y mae pregethwr Seion yn leico merched pert,
Fel Sal yr organyddes sy'n gwisgo mini sgert,
Fe ddalodd rhywun sylw a hynny'n fuan iawn
I'r ddou fynd miwn i'r festri bob tro cyn cwrdd prynhawn.

A thyfodd y ddrwgdybieth (heb neb yn dwedyd bŵ)
Ymhlith rhai o'r aelode, fod rhwbeth rhyngddyn nhw,
Un tro bu'r ddou'n y festri am awr yng ngole dydd
Yn gweud: "I drafod tone sydd yng *Nghaneuon Ffydd*."

'Saint Margaret' oedd un emyn – y mae ar pêj wan eit sefn,
A'r ddou ymhell o'r organ, yn iste'n sêt y cefn!
A chlywyd Sal yn canu (soprano fach yw hi)
Y geirie'n glir "O gariad" a "na'm gollyngi i".

Roedd Sal yn fenyw briod a'r gŵr hi ar y môr
Yn hwylio yr Atlantig am wlad El Salvadore.
Ac felly yn absennol, rhy bell o iet y clos
I fedru gneud ei *homework* fel bois sy' gatre'r nos!

Daeth e' sha thre'r Nadolig ond safodd lai na mis,
'Mond i gael bach o bwdin a chyfle'i newid crys,
A thra bu'r morwr gartre, mae hyn yn berffeth iawn –
Ni fu Sal yn y festri un waith cyn cwrdd prynhawn!

Ond wedyn bu y menwod, i gyd bron, ar lwc owt
I sylwi a odd Sali yn dechre mynd yn stowt?
A dymai'n dechre dangos – 'r ail wthnos ym mis Mai
A phrifio wnaeth, yn sicir nid odd hi'n mynd yn llai.

Er fod drws ffrynt y festri ar agor bron bob dydd
Ni fu 'na fwy o ganu o lyfr *Caneuon Ffydd*,
A yna ym mis Medi fe anwyd babi pert
(Gwallt coch a llyged mawrion) i'r ferch mewn mini sgert.

Nawr, cochyn yw'r pregethwr, a'i lyged e' yn fawr,
Anghofies weud hyn gynne, ond wy'n ei weud e' nawr.

(Roy Davies)

Hefyd o'r Lolfa

CYFRES TI'N JOCAN

hiwmor Y CARDI

£4.95

hiwmor IFAN TREGARON

£3.95

CYFRES  TI'N JOCAN

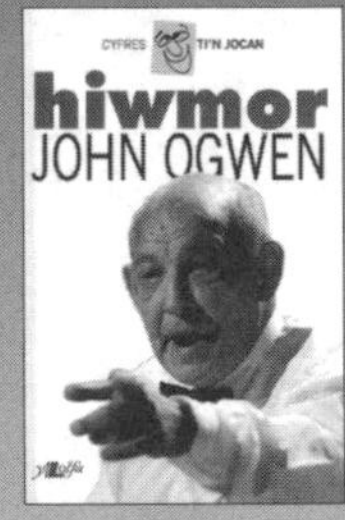

www.ylolfa.com